劉福春・李怡 主編

民國文學珍稀文獻集成

第三輯

新詩舊集影印叢編　第94冊

【丁丁卷】

未寄的詩——
過去的戀歌

上海：群眾圖書公司 1926 年 8 月初版

丁丁　著

我倆的心

北京：海音書局 1927 年 4 月初版

丁丁、雅風 著

花木蘭文化事業有限公司

國家圖書館出版品預行編目資料

未寄的詩——過去的戀歌／丁丁 著　我倆的心／丁丁、雅風 著——
初版—新北市：花木蘭文化事業有限公司，2021〔民110〕
84 面／70 面：19×26 公分
（民國文學珍稀文獻集成・第三輯・新詩舊集影印叢編　第 94 冊）
ISBN 978-986-518-473-5（套書精裝）
831.8　　　　　　　　　　　　　　　　　　　　　10010193

ISBN-978-986-518-473-5

9 789865 184735

民國文學珍稀文獻集成・第三輯・新詩舊集影印叢編（86-120 冊）
第 94 冊

未寄的詩——過去的戀歌
我倆的心

著　　者　丁丁／丁丁、雅風
主　　編　劉福春、李怡
企　　劃　四川大學中國詩歌研究院
　　　　　四川大學大文學學派
總 編 輯　杜潔祥
副總編輯　楊嘉樂
編　　輯　許郁翎、張雅淋、潘玟靜　美術編輯　陳逸婷
出　　版　花木蘭文化事業有限公司
社　　長　高小娟
聯絡地址　235 新北市中和區中安街七二號十三樓
　　　　　電話：02-2923-1455／傳真：02-2923-1452
網　　址　http://www.huamulan.tw 信箱 service@huamulans.com
印　　刷　普羅文化出版廣告事業
初　　版　2021 年 8 月
定　　價　第三輯 86-120 冊（精裝）新台幣 88,000 元

未寄的詩——
過去的戀歌

丁丁　著

丁丁（1907～1990），原名丁嘉樹，上海人。

群眾圖書公司(上海)一九二六年八月初版。原書三十二開。

八年一時影春蘇姑

1924

過 去 的 戀 歌　　　　　　1

鄭　序

新詩的前途是無限壞的。在這個新鮮的詩園裏，到處都是沃壤肥田，等待我們詩人們去墾殖。只要是勇敢的人，是有些臂力的人，是肯勤作的人，都能夠各有所得，滿意而去。不比得那已成了骸骨的舊詩，無論牠是五言七言，古詩，詞曲，都如一塊已被炎日灼熱的沙漠，任怎樣好的農夫都是不能去下種，更無望其能有豐厚的收成了。

現在的新詩的時代，當然還是在打基礎。然而成績却也未可使人悲觀，尤其是靑年詩人的勇敢，更可以使我們高興。譬如春天的綠芽，東也茁起，西也突發，自然的會使人生了一種新鮮的快感。雖然他們未必立刻就會結出不朽的偉大的果子來，然而他們的前途是無限的；他們的藝術也許是不十分整練，然而整練是時間可以使他們到達的。所以我們對于靑年的詩人，特別的抱樂觀。

丁丁君近來寫了一部詩集。我不會做詩，更不敢論詩，然他的作品，我却感着他的奔放的情思的可愛。雖然以

2　　　　　　　　　　　郁　序

藝術論之，有幾首我是不大滿意，然這只是時間可以把他
們改進的。

　將來他一步一步的前走，詩的私園裏，不怕不會有他
裏殖的一塊花園的。只要努力，成功便是他的了。

　　　　　　　　　　　十五・三・八・

　　　　　　鄭振鐸

過去的戀歌　　　　5

自　序

　　有一般研究文學的人，以爲文學的目的，是指導人生的，或是創造人生的，所以在每篇作品裏，終是流露着作者的見解，含蘊着作者的用意，當每篇作品着筆的時候，一定先要計劃那篇作品的使命，估量那篇作品的價值；像 Richardson 在 Pamela 的序中，說到文學是溶化着道德的，是含有敎訓的意義的；Fielding 在 Tom Jones 中也曾說：我這篇作品的目的，是在將那罪惡中之尤者，用各種形式表現之，並且指出利己心的普及人類。也有一般研究文學的人，以爲文學的目的是娛樂的，是遊戲的衝動 Play-impulse 席勒 Schiller 和斯賓塞 Spencer 等都以爲藝術發生的動機是遊戲本能，就是精力過膡 Surplus of energy 的變形，所以每篇作品，是作者要使讀者讀了他的作品發生一種快感的，大小說家 Scott 在他所著的小說中，往往說，我時常想使得人家得到樂趣，所以時常要寫小說。但是我不這樣想，以爲每篇作品的產生，或許能指導

4　　　　　　　　　自　　　序

人生，或許能創造人生，或許能娛樂人家，但當動筆的時候，不一定先有成見，因為文學是文學，文學的本身終久是文學，至於能創造人生，指導人生，能使人娛樂，並不是文學的本身，並不是文學的目的，只不過一種文學的效能吧了，而且也許能破壞人生，能使人傷感；所以我以為文學是無目的的，只不過作者把自己內心的無形的熱情，或是所感，賴自己的藝術手腕，用有形的文字精明地描寫出來吧了。

未寄的詩，是我民國十四年以前所寫的，我寫這些詩的時候，並沒有什麼成見，不過在那時只洩流了一些我心的深處的急欲奔放的情緒。

時序是刻刻變遷的，環境也時時不同的，所以每個人的一生，一定有許多不同樣的遇境，在他的生命史中，也寫了時間和空間的不同，可以劃分出各別的段落。我自從踏進了現世，純暴天真只有愉快的童年，已被無情的時間輕易毀滅，浪漫而隨便的少年，也在模糊裏已迅速消逝；如今可寶貴的一十九載，已蟬翼般輕渺的流亡。就在這一

過去的戀歌　　　　5

十九載中，我也曾稍稍見過人世間的氣色，也曾略略感到人世間的意味，可是如今，我已覺察過去的謬誤，我已否認過去的思想，過去的經驗，以及否認過去的一切；我已經把這一十九載過去的我，用否認作為它的內棺，用醒察作為它的外槨，深深地埋葬在廣泛的時間裏；我也已經向着慈悲的主宰，虔誠地乞求我的未來的新生命，我更已經努力地向着新穎的愛美的道路上積極前進。所以民國十四年以前，的確是我生命史的第一章，于此可以說，以前的我，是已死的我，民國十五年元旦以後的我，是再生的我，是另一個我！

　　這已死的我，只留下了一些灰色的微痕——幾許詩，不過我所寫的詩，並不是只有這一些，大部份是已經毀滅的了，其餘的一部份，已刊在登山詩集上，還未寄的詩，不過從毀滅裏遺漏下來的一些。就是這幾首詩，也大都已經在各種雜誌報章發表過的，我現在把來聚集付印，我自己並沒有別的企求，只不過當作達物新生的我給過去已死的我的些微輕薄的葬禮吧了。

8　　　　　　　　自　　序

驚飛草長的江南二月春；

于海上，上海大學

過去的戀歌   1

目　　錄

過 去 的 戀 歌　　　　　　1

愛底呼聲

（一）

它好似一座盤針；

波浪洶洶湧湧地，

渺渺茫茫的海裏，

航行者用的盤針。

＊　　　　＊

它好似一盞明燈；

星暗月藏無光地，

寂寞悽慘的深夜，

旅行者用的明燈。

（二）

爲什麼我倆獨不？

看白雲片片相遞，

游魚們同來同往，

小鳥們雙宿雙飛。

2　　　　　　　　愛底呼聲

＊　　　＊

爲什麽我倆獨不？

雲水是相互親吻；

鴛鴦同伴着戲水，

鳳凰相依着翺翔。

寄某女郎

——未寄的詩——

美麗的姑娘呀！

我愛你，

我眞實地愛你；

但是我不敢向人說：

『我是眞實地愛你！』

而且我也不敢對你說：

『我是眞實地愛你！』

自從我見了你的豔影，

過去的戀歌   3

我底魂靈早已飄蕩了；

當我見你輕輕地一笑，

我底柔弱的心兒早已深深地葬在你底盈盈地笑渦裏了！

　　自從我第一次見了你以後，

直到現在，我無時無刻不想念你；

呀！美麗的姑娘呀！

　　你已佔領了我所有的時間和空間！

　　你底臉兒紅的時候好似玫瑰，

你底臉兒白的時候好似茉莉；

我覺得你是人間的安琪兒，

我底幸福統統操在你的手裏！

　　祇要你能給我一點愛情，

我便可詛咒宇宙間的一切；

祇要你能說一聲，我愛你，

那末我……………………………………………！

4　　　　　　　　賣菜女郎

當你底視線凝着我而微笑的時候，

那時的我底一切統統是你底了；

你真是人間的唯一的安琪兒，

我常犧牲了一切為你服役供你驅使！

在昨夜我底夢裏，

我覺得已經親親熱熱地擁抱了你；

但是當我從夢中醒來，

祇聽得窗外淒涼的風聲暗暗，

半牀的被兒還是冷冷地，

我祇好伏着枕兒流淚！

是一天的下午

我有氣沒力地從教室裏回來，

我彷彿瞧見你在我面前微笑，……………………

我便很興奮地過來想和你接吻；

但何處是真實的呢？

過去的戀歌 5

祇在牆壁上撞痛了我的額角

是誰在路上擺了石塊？

把我底脚尖碰痛！

是誰在牆上掛了木牌？

把我底額角撞腫！

甚麼東西我都模糊了，

我眼睛所看見的祇有我時時刻刻想念着的我心愛的你底玉
容！

我從前覺得是美麗的晚霞，

我從前覺得是詩趣的晨曦，

我從前覺得是清脆的音樂，

但如今都變了，一些也不能引我注意；

美麗的唯一的人間的安琪兒呀！

你已佔領了我底心，我底思想，我底一切；我底幸福
統統操在你的手裏；我當忠誠地爲你服役，供你驅使；我
祇靜靜地期待着你底仁意！

6 　　　　　　寄某女郎

美麗的姑娘呀！

我愛你，

我真實地愛你；

為了你我已怎地消瘦，

但我也不懺悔不怨你；

祇要我底生命流動一天，

我終當一天真實地愛你；

不過我雖是真實地愛你；

雖是這般真實地愛你，

但我終久不敢向人說：

『我是真實地愛你！』

而且我也終久不敢對你說：

『我是這般真實地愛你！』

　　　　　　　（二）

梵啞鈴沒這般清脆，

披亞娜沒這般鏗鏘；

你底話聲比一切都美妙，

過 去 的 戀 歌　　　　　7

呵！不相識的美麗的女郎！

是天女把仙花散放，

是愛情把情絲撒揚？

你底姿態比一切都窈窕，

呵！不相識的美麗的女郎！

我愛聽你美妙的話聲，

我愛看你窈窕的姿態；

但是，但是你可能應允我？

呵！不相識的美麗的女郎！

（三）

我想寫一首美麗的詩歌，

描寫你種種可人的姿態；

但是我已經幾回提筆，

終久一個字也沒有留在●

8 賣菜女郎

你那可人的姿態，

輕盈的倩笑實在可愛；

但是不能描寫，

因為我沒有吟詩的天才。

相思時常來敲我的心門，

當明月從窗洞中把我窺探；

電燈光雖照的通室分明，

可是我心中終覺十分黑暗。

想到你白嫩的一雙玉手，

恨不得把來一口吞下；

不過我的確是個弱者，

就是喊你一聲蜜水也不敢。

當我呆坐着這聯坪霽，

忽地裏飛來紅葉一枚；

過 去 的 戀 歌 　　　9

哦！那鏗鏘的披亞娜，

怎的也變成了咽嗚淒慘？

啊啊！美麗的姑娘呵！

我恁地真實地愛你念你；

可是我這弱者的拙影，

肯不在你芳豔的腦海一現？

你愛我不

隱約的玫瑰忽然消滅了，

荊棘的荒野忽然不見了，

狂暴的雨聲把我驚醒。

「你愛的她別人也愛她，

你愛的她她也愛別人；

她愛別人是出於真情，

她愛你嗎是完全欺騙。」

10　　　　　　　　　你愛我不

還是夢裏朋友告訴我的，
話聲還隱約在我耳邊。

「你留心着切莫上她當，
她有親親熱熱的愛人，
她更有父母之命的丈夫。」

夢境的事實是假的嗎？
繡枕兒已經濕透半邊，
因為我曾在夢裏啜泣。
夢境的事實是真的嗎？
看你的來信多麼纏綿，
繡枕也是你親手製贈的。

為了你我可以粉身碎骨，
為了你我可以赴水蹈火，
祗要你愛我我便情願；

我願爲了你犧牲一切；

我是這樣忠誠地愛你，

我的愛人啊你愛我不？

　　窗外的雨聲這樣狂暴，

震的相思者心要碎了，

我心愛的人啊你愛我不？

小詩

（一）

——同心——

　　蝴蝶在花叢中陶醉，

蜜蜂在春風裏留戀；

我儘有的柔弱的心兒，

巳經飛去在伊的愛懷。

　　我想寫信去向伊要問，

12　　　　　　　　　　小　　　　詩

我想在夢裏向伊要囘；

但伊說的我又驚又愛，

「哥！我的心兒也何在？」

（二）

——合意——

昨宵黃鶯在枝頭低唱，

多情明月在湖底微笑；

我獨自站在溪邊柳橋，

引喉高歌我心愛情調。

昨夜我在夢裏見伊，

嬝娜地走向我懷裏，

微笑着低低地對我說：

「哥！你高歌的心愛情調，

今已深藏在我心底深處。」

遺失了棣棠蝴蝶

過去的戀歌　　　　　　　　　　18

黃花綠葉美麗的棣棠，

輕窘柔和多情的美蝶，

你倆是我知心的好友，

我們已親熟了一年有奇。

記得和你倆初見的時候，

把你倆放在愛韻的詩裏，

有的人說我殘忍無情，

你倆却微笑着表示歉意。

我無聊且煩悶的時候，

我便找你倆和我接吻，

你倆益發做微笑的情態，

賜給了我不少的慰安。

我得意而愉快的時候，

我便找你倆和我接吻，

14　　　　　　　　遺失了棣棠蝴蝶

你倆伶俐活潑的嬌態，
賜給了我更多的樂趣。

不過我是這樣的粗笨，
不能使你倆稱心如意；
我於是刻刻時時留心，
替你倆找尋多情的伴侶。

前日我替你倆慶幸，
慶幸你倆不日可得歸宿；
我把你倆放在信裏寄去，
去消受伊的柔情的撫慰。

我把你倆放在信裏寄去，
於是我便早早晚晚祈禱，
祝你倆早到伊人的情懷，
願你倆早得多情的撫慰。

過去的戀歌   15

從前我用淚珠灌漑你倆，

現在你倆可得更甜蜜的，

而且溫軟輕柔的接吻，

不比我那樣的粗齒了。

你倆可盞現活潑的情態，

你倆可盡吐素淡的幽香，

伊有聰慧的天才理會，

不比我那樣的呆憨了。

你倆可聽到嗢嚧的細語，

你倆可聽到宛轉的嬌唱，

並可看見楚楚的豐姿，

更可欣賞飄飄的神情·

伊人底柔情的撫慰，

是你倆的無窮幸福，

16　　　　　　　　遺失了樣棠蝴蝶

所以我把你倆寄去，
並且早早晚晚祈禱。

昨天我接到伊人來信，
才知道你倆遭了不幸，
沒有得到柔情的撫慰，
已在路上被人戕害。

親愛的美蝶和棠棠，
你倆不要枉加怨恨；
這是我的粗心不慎，
沒有把你倆親手送去。

伊人多情終久是多情，
只怪你倆自己的命運，
伊人來信上不是說——
為了你倆芳心幾乎破碎。

過去的戀歌   17

　　親愛的美蝶和棣棠，

　　如今你倆已遭了不幸，

　　不知你倆柔弱的靈魂，

　　如今究竟漂泊在何處？

　　昨宵我聽得微風吟哀，

　　昨宵我聽得杜鵑啼恨，

　　在漂渺模糊的期間，

　　我隱約看見你倆是在啜泣。

「自從知道那棣棠蝴蝶失去後，腦筋中常存著不快的思想，一天天積成的亂絲般的思緒，竟把煩悶的胸臆塞住了；唉！是花蝶之不幸嗎？是我的不幸吧！」

　　—— 伊們的來信中 ——

和紫籐花同來的

　　宇宙原是情感所凝造，

　　個人便是愛情的結晶；

18 和紫籐花同來的

如果一旦沒有了愛情——
　　宇宙便會解散，
　　人類便要消滅。

　　還是幽豔的紫籐花，
二朵，並蒂着的二朵；
佢們也是情的結合
　　美麗的二朵並生着，
　　欣欣物物地並生着，

　　我知道人生是快樂的，
宇宙間充滿了愛美；
我默默地祈禱着——
　　紫籐花永久幽豔，
　　並蒂着永久並蒂。

　　我知道人生是快樂的，

過去的戀歌　　　　　19

宇宙間充滿了愛美；

我更默默地祈禱着──

　　我倆同紫藤花一般，

　　生生世世的並蒂着。

忠誠的愛

　　我把我的愛藏在心的深處，

謹慎地藏着決不輕易拿出；

因爲倘若把它拿了出來，

恐有別人的請求或是掄奪。

　　我把我的愛藏在心的深處，

謹慎地藏着決不輕易拿出；

除非是會見了我親愛的伊，

才把它放在眼底嘴上笑裏。

　　我今已久不見親愛的伊了，

20

忠誠的愛

我的愛巳在心的深處狂旋；

但我仍把它守在心的深處，

謹慎地守着決不輕易放出。

我今巳久不見親愛的伊了，

我的愛巳在心的深處狂旋；

不過有時放在筆尖紙上詩裏，

作爲它孤獨枯燥沉悶的慰藉。

別後

倦憬的身子斜倚着惹蔭籠柳樹，

悵惘的眼兒凝視着憔悴紅花，

側聽淅淅瀝瀝綿綿不絕的雨聲，

花啊休怨！風雨原是這般無情。

憔悴者閉下那憔悴的眼簾，

過去的戀歌 21

瞧見了亭亭的伊美的艷影；
密密府層繞着煩惱的情絲啊，
何年何月何日何時才能抽了？

　時間怎的這般局促而疾馳啊！
　一天一天匆匆地猶如轉瞬；
時間怎的這般舒散而延慢啊！
　一秒一秒綏綏地如度長年！

　窗外的樹兒搖拽着歡舞，
伶俐地小鳥活潑地遊戲，
淡淡地陽光鑽進窗簾微笑，
孤獨的煩悶者支着頤兒沉思。

　踪跡罕少蔬蕪的滄浪遺膦，
樹，草，花都盼望着遊人欣賞，
翩翩地姍姍地雙美玉移，

22　　別　　後

憔悴的樹，草，花都迎着笑了。

把晶瑩的相思的淚珠兒，
匯成了鮮明光潔的大湖；
懇求慈悲的愛神之恩典，
使我們夢裏在湖面徜徉。

這是小册上寫着的詩句，
那青苔叢生着的石凳上，
伊美默默地坐着翻弄玩味，
一霎時抬頭微微地笑了。

這是多麼甜蜜地微笑啊！
到如今還甜蜜地留在腦裏；
和風吹動着蛺蝶輕輕飛舞，
美麗的飛舞怎及美麗的微笑。

過去的戀歌　　　　23

當我探摘那將謝的紅花，
你笑着說出淺淡的情語：
「讓它自己憔悴能莫再探摘！」
　嬌脆的微聲還隱約在我耳邊。

　理智何嘗能克制了真情，
理智之網破碎而真情淘淘流了；
我原是名教叛徒禮義罪人，
我不願理智屈伏了我的真情。

　在孤獨無聊而煩悶的時候，
翻弄着過去的甜蜜的經驗；
雖是這般感到寂寞且苦痛，
但也可稍慰渴望着的心兒。

　在孤獨無聊而煩悶的時候，
腦海裏便不息地起着波浪；

24　　　　　　　別　　後

引人強笑的未來的希望，
惹人煩惱地過去的經驗。

愛情原是恁地漂渺無定，
好似樹頂上輕輕飛過的風姨；
隨你怎樣真誠地懇求，
它終久不依戀地過去遺下苦痛。

在月光明媚地寂寞的靜夜，
孤另的我每每這般憶起——
伊是世界上最美麗的女郎，
清脆的笑聲更能令我陶醉。

「我有話要和你說。」
但當我趨前來領教之時，
你又是恁地幽愛而難我回答，
「我要說的話便是要聽你說的話。」

過去的戀歌 　　25

凝眸相望著不語的時候，
我柔弱的心兒忐忑狂跳；
但我又不敢和盤托出我的真情，
只說「我沒勇氣說我心中的話。」

我願永久永久地站在回憶之國，
回憶雖是這般地使我苦痛惹厭，
苦痛惹厭的回憶啊！
　　我將怎樣添增苦痛惹厭的經驗！

記得我倆將別的前日，
簷前的小鳥吱啵地亂鳴；
沉默對笑似語非語地話別，
怎樣地甜蜜又怎樣地苦痛！

「再會」送出了我倆的嘴唇，
但是我倆何嘗是心願的呢！

26　　　　　　　　　別　　　　　後

　　睜眼笨望着只碍人面不泣，
時間無情地催促着不得不離。

　　自從那天和你匆匆地話別之後，
我底柔弱的心兒終久還沒歸來；
我時常想把理智來克制狂情，
但是終久自願受這相思的苦痛。

　　春水般晶瑩的多情的秋波，
玫瑰般紅潤的美麗的雙頰，
情絲般柔鬆的可愛的烏雲，
——我沒有地方沒有剎那不見。

　　當我無聊地沉靜着一憶，便見
你那柔情的窈窕的幽嫻的芳姿，
斜倚在沙發上纖手輕輕地握着，
竹簫接着緋紅的情唇低低吹動。

過 去 的 戀 歌　　　　　27

回憶佔了我所有的思想時間，
雖是苦痛但我的心微笑着說：
『伊是美麗的柔和的姑娘呀！
　我的幸福，我可以誇傲一切了！』

文君當壚是怎樣地辛苦，
但是伊倆優游地儘自唱和；
愛情原是超過天上人間的一切，
虛偽的禮教何嘗能克制分毫。

蠶兒吐絲束縛了自己，
我已經披上了愛情之綱；
不論怎樣地痛苦我不懺悔，
不論怎樣地苦痛我不懊喪！

喲！小鳥留着他的輓歌，

28　　　　　　別　　　後

將沉未沉的夕陽依依留戀；

自從那天和伊匆匆地話別之後，

我底柔弱的心兒終久還未歸來。

寄

我原很快慰地接到盼望着的你的信，

但當我展讀的時候不禁心痛欲裂了；

你顫動地潦草的一個一個的字兒，

好似利箭般一枝一枝的刺入我的弱心！

「昏昏沉沉不知不覺地睡了二十五小時，

在模模糊糊的夢境裏濕透了你底信兒。」

唉！我親愛的姊姊！

颯颯蕭蕭撲人胸懷的深秋你竟病了啊！

我想生出兩個翅膀輕快地飛起，

立刻飛到你牀前用我底心兒撫慰，

過去的戀歌　　　　　　29

但是恕我吧姊姊！事實不許我這樣，
我只能遙遙地祈禱着愛神施恩護衛。

我原很快慰地接到盼望着的你的信，
但當我展讀的時候不禁心痛欲裂了；
你顫動地潦草的一個一個的字兒，
好似利箭般一枝一枝的刺入我的弱心！
——接伊信，悉病後——

我想寫信告訴你

我想立刻寫信告訴你，
我想立刻寫信告訴你，
星星燦爛地靜默之夜，
倚着欄杆我悵望與沉思。

多麼美麗呀靜默之夜，
多麼美麗呀靜默之夜；

30　　　　　　　　我想寫信告訴你

寶石般閃閃的星光含笑，

愛人呀你也感到這美麗之夜？

如果我倆同伴着賞星，

今晚我倆同伴着賞星；

那末將怎樣甜蜜而愉快，

這星星燦爛地靜默之夜！

我想立刻寫信告訴你，

愛人呀我想寫信告訴你，

但當我提筆欲下的時候，

我又不知寫些什麼才是。

昨宵之夢

——心靈——

這是我永久不忘的甜蜜地昨宵之夢，

落葉蕭蕭寂寞地晚秋深夜的公園裏，

過去的戀歌 31

楓姊漲紅了臉羞答答地站在園角沉思，
含了黃意的小草們一例默靜着夜牆；
心愛的美麗的伊微笑着姍姍地向我走來。

　這是我永久不忘的甜蜜地昨宵之夢，
月光慘淡地有時被烏雲遮蔽而模糊，
微微顫動地柳影低下的板凳上我倆——
肩並脊肩手握着手互相倚偎地坐着，
密密地接吻，我倆感到一切都愉快了。

　這是我永久不忘的甜蜜地昨宵之夢，
清淡的月光從窗洞中映的紗帳分明，
愛神和秋姨緩和地低吟着玄妙的戀歌；
我倆愉快地相互親親熱熱地擁抱了——
溶成了一個，也隨着愛神秋姨愉快地詞了。

我願

82 　　　　　　　　我　　　願

小鳥；

我願把這顆悸慄的心，

安置在你溫柔的翼下，

帶到故鄉慈親的房裏，

輕輕地放在伊的枕邊，

倘若伊思倦而睡着了。

小鳥；

我願把這些散亂情絲，

束在你美麗的頸項上，

帶到那我的愛人牀前，

輕輕地夾在伊的髮裏，

倘若伊思倦而睡着了。

愛是快樂的

我如今已進煩惱之城了，

我已明白愛是快樂的！

過去的戀歌　　33

蝴蝶翩翩地在花間飛舞，
小鳥吱吱地在枝頭讚美，
和暖明媚地客歲的陽春，
我倆正握手在愛神懷中徘徊。

紡紗姑娘在草地上歌唱，
促織姊姊在磚堆裏謎嚷，
清涼溫爽地客歲的秋夜，
我倆正並肩在愛神懷中冒歡。

從前的已流水般逝去了，
好似玫瑰花片片地凋謝；
我已明白愛是快樂的，
我如今已進煩惱之城了！

夏雨的煩惱

明是吱唧地吵鬧喧聲，

34　　　　　　　夏雨的煩惱

反而襯托還深夜沉寂；
是促織在磚堆亂叫，
是怒風在樹頭哀鳴？

我悄悄地想踱到花下祈禱，
忽地裏傾盆似的夏雨下降；
打斷了我前進的意念，
打起了我心裏的熱潮。

我疲憊的漂泊的心兒，
何時才止漂泊的生涯？
哪裏是愛神的慈懷？
哪裏是甜蜜的故鄉？

夏雨再不要這樣的吵吧，
你又不能滋潤枯燥的心兒；
莫驚醒了伊甜蜜的好夢！

過 去 的 戀 歌　　　　　　35

莫驚動了伊柔弱的芳心！

　　或者伊還默默對燈流淚，
翻弄着伊過去的經驗——
　　那邊的團團相聚，
　　那時的低低蜜語。

　　不用我這般煩惱，
也不用我如此心焦，
如果時間永沒有變更，
如果葡萄藤永不枯焦。

　　南風輕輕地一度呼喚，
喚醒了酣睡着的花兒；
我已經失掉了的歡樂，
啊！何時才能重復囘來？

望月思友

36　　　　　　　　望月思友

野花沉醉地靜默，

鳥兒恬靜地甜睡，

月姊揭開了紗帔，

俯視這沉寂的宇宙，

柔和而素淡的銀光，

罩滿了深夜的公園。

我輕輕地展開，

把這久幽着的心，

心兒輕吻着和光，

覺今夜一切都安靜；

但小溪在柳影下低吟，

激動了我單調的弱心●

風兒一般地輕拂，

愛友喲，你在哪里？

我記得你在我身伴＞

過去的戀歌　　　　　　87

像如今的明月之夜；

更記得你和我昔愛，

像如今的明月之夜。

　　我見你於綠水之底，

曾吻你於漂渺之間，

更找你於森林之內，

現在正沉吟着想你；

風兒一般地輕拂，

愛友喲，你在哪里？

心之波痕

　　習習的涼風襲了我的衣袖，

颯颯的落葉撥着我的心弦；

彎彎的新月已高掛在樹梢，

愛人呀！你爲什麽還不快來？

38　　　　　　　　心之波囊

「餘霞泛濫的美麗的傍晚，

野薔薇叢生的溪邊綠山；

那里，我心愛的哥哥！

請期待着，下月初三。」

你那臨別的諄諄的佳期再約，

我是牢記在心頭永不忘懷；

你那清脆的甜蜜的嬌音，

如今還圍聚在我耳邊未散。

習習的涼風襲了我的衣袖，

颯颯的落葉撥着我的心弦；

彎彎的新月已高掛在樹梢，

愛人呀！你爲什麼還不快來？

（二）

和風輕輕柔柔的拂着，

月光清清淡淡的照着；

過 去 的 戀 歌   39

我站在寥曠沉靜的郊野，
心的深處低低地唱出一曲。

　歌聲離了我底心弦飛出，
飛到欣欣地柔嫩的樹枝；
但樹枝搖搖頭佯笑着說：
「去罷！這里用不到你！」

　歌聲又離了柔嫩的樹枝，
飛到歡唱的活潑的流水；
但流水儘向前急跑着說：
「去罷！這里用不到你！」

　最後，我的歌聲飛到——
飛到一個眞善的美女的心房，
她底心房張開嫵媚的臂說：
「來呀！來到我這空虛的心房，

40

心之波痕

我早久待着你這孤另的心曲！」

自從我底心曲安睡在她底心房，

我急燥的心小綿羊般的安靜了。

月明星稀沉默的美麗的靜夜，

還可聽到我心曲的歌聲，

但是從女郎嬌脆的珠喉唱出的了。

（三）

颯颯落葉在這邊嗟冤，

濺濺流水在那邊呼枉；

默默如死的馬路上，

孤另的我獨自徘徊彷徨。

「清淡的月明呵！

你曾不照到彼方？

曾不照見我心愛的女郎，

默默地對着孤燈流淚？

過去的戀歌   41

『或者伊巳經躺在牀上，

輾側着找不到夢鄉？

　相思急敲着伊心的哀弦，

苦痛戳擊着伊酸的珠淚？

　或者伊巳經進了夢鄉，

夢着和我訴別後傷情？

　夢着和我親親地接吻，

夢着和我緊緊地擁抱！

　或者夢見我另有愛人，

從今後再不和她親近？

　抑是夢見我相思病深，

抑是夢見我巳經死了？』

　默默如死的馬路上，

孤另的我獨自徘徊彷徨；

『清淡的月明呵！你——

你曾不照見我心愛的女郎？』

（四）

明月在碧空微笑，

流水在幽谷歡歌；

我將怎樣欣慰呵？

　如果我挽着愛人閒步。

涼風輕輕地柔拂，

枯柳嫋嫋地漫舞；

我將怎樣欣慰呵？

　如果我挽着愛人閒步。

我倆可各自取出心杯：

把她甜蜜地葡萄酒漿，

斟斟地傾滿我的心杯；

把我熱烈地葡萄酒漿，

過去的戀歌　　　43

漏滿地傾進她的心杯，

我倆可相互倚偎着，

擧起滿杯的葡萄酒漿；

喝嚐，細細地喝嚐，

陶醉，深深地陶醉。

再舒我倆的歌喉，

合唱我倆的情調；

愛情是我倆的慈母，

幸福是我倆的故鄉。

香豔的鮮花叢側，

瀲灩的綠笑湖畔；

我將怎樣欣慰呵？

如果我挽着愛人閒步。

我愛你的心願

44　我愛你的心願

你能找到了一個如意郎君，

便滿足了我愛你的心願。

我心愛的人兒呀！

我是個無能的弱者；

我沒有纏綿的愛情，

我沒有深邃的學問，

我沒有美妙的姿態，

我沒有豐富的家產；

所以我雖是真實地愛着你，

我却不情願也不希望你愛我。

我是不配你愛的，

只要讓我愛了你便夠了；

我知道——

你底姿態是美妙的，

你底言語是輕柔的，

過去的戀歌   45

你的性情是軟和的，

你底愛情是濃厚的；

須要有一個十全十美的人兒，

才配得上消受你多情的愛。

　　因此，我朝朝晚晚的祈禱着，

我心愛的人兒呀！

　　祈禱着你能找到一個情人；

他有纏綿的愛情，

他有深邃的學問，

他有美妙的姿態，

他有富豐的資產；

他能温柔體貼做你永久的伴侶，

他能使你享受美滿的幸福。

　　今天我得到了這個消息，

　　我是多麼愉快呀！

46　　　　　　　我愛你的心願

知道你已經有了完美的伴侶，

你們將在二月後結婚，

從此你可享受人間真實的幸福：

對着雄渾偉大的海水，

你們可同伴着吟詩；

對着威壯美麗的奇山，

你們可相偕着歌唱；

當桃李爭妍的陽春，

你們可手攜着手鬥芳；

當楊柳依依的盛夏，

你們可肩並着肩消遣；

當蟲聲吱唧地涼秋，

你們可坐在溪頭向詩趣陶醉；

當白雪飄飛的寒冬，

你們可坐在火爐邊互相依偎；

在月色光潔的靜夜，

過 去 的 戀 歌　　　　　47

　草地上或是花叢裏你們可談心；

在最曦燦爛的朝上，

紗帳裏或是小園中你們可賞憐；

… …………………………，

……………………… 。

　　總之；人間一切的眞實的幸福，

你們可一一地仔細地領略；

你們可淘汰什麼囚人的寂寞，

你們可屛除什麼搔人的憂愁，

你們可吐棄什麼痛人的悲苦，

你們可拒却什麼刺人的苦痛，

你們可拋撇什麼惹人的淒涼，

你們可避免什麼戕人的枯燥，

你們可謝絕可怕的一切，

祗有甜蜜的滿美的眞寶的幸福！

48　　　　　　　　我愛你的心願

　　我心愛的人兒呀！

我時時頌祝著的，

如意都是你意中的幸福了；

可是你不要再把我記起，

放心罷萬萬不要再計起，

我的確是個無能的弱者，

祇要讓我愛你便夠了，

　我是夠不上你的愛的；

我不願你愛我——

愛我而犧牲你一切的幸福；

我願你自愛你一切的幸福，

再不要把我無能的弱者記起；

但我是永久永久地愛著你的！

　　我心愛的人兒呀：

如今——

你是巳經找到了一個如意郎君，

我是己經滿足了我愛你的心願！

過去的戀歌　　　　　　49

只要努力地爬上山頂

——贈四野文會諸同志——

莫怕怒石礪破你的脚，

莫怕刺籐拖碎你的衣，

只要努力地爬上山頂，

山頂上便可找到——

　　你所希望的想像的美景，

　　或有你夢想不到的美景。

　　只要努力地爬上山頂，

山頂上——

　　可以嗅到野草的異香，

　　可以看到野花的美麗，

　　可以望見波動的麥浪，

　　可以望見搖擺的叢林。

50　　　　　　　　只要努力地爬上山頂

只要努力地爬上山頂，

山頂上————

可以遠眺汪洋的大湖，

湖面上密布了濃霧；

迅速馳行的帆船，

宛如默默靜着的水鴨。

只要努力地爬上山頂，

山頂上————

可以遠眺橫臥的高山，

山身上輕披了綠衫；

高高矗立的寶塔，

好似美麗陽春的使者。

只要努力地爬上山頂，

山頂上————

可以仰望深遠的蒼天，

過 去 的 戀 歌 　　　　　61

可以俯察渺茫的綠地；

可以看天和水的接吻，

可以看雲和山的擁抱。

旅路上的朋友呀！

莫怕怒石礁破你的脚，

莫怕刺籐拖碎你的衣，

只要努力地爬上山頂，

山頂上便可找到——

你所希望的想像的美景，

或有你夢想不到的美景。

——遊天平，靈巖——

莫把機會失去

當你立在平地上，

仰望冲天的高山；

怎樣你才能上去？

52　　　　　　　莫把機會失去

　　朋友！
　　倘若你不去試試。

　　當你立在園門外，
　笨看美麗的花草；
　怎樣你才能進去？
　　朋友！
　　倘若你不去試試。

　　當你立在清泉旁，
　凝視澄潔的甘露；
　怎樣你才能知味？
　　朋友！
　　倘若你不去試試。

　　當鐵燒紅的時候，
　用你全力去打擊；

過去的戀歌　　　　　　　　　　65

努力永久地努力，

朋友！

切莫把機會失去。

莫把擔兒卸

——贈失意的青年——

在夢中，我聽到美麗的歌唱。

當我從夢中醒來，便聽閒了

二個人，匆匆地走過我窗檻，

挑着担，嘴裏正在先後的叫喊。

『莫把担兒卸，年青的朋友呀！

前去污濁——

須我們担的血兒洗；

前途荊棘——

須我們担的鋤兒剷！』

前面的前進着這樣地叫喊。

54　　　　　莫把擔兒卸

　　『莫把擔兒卸，年青的朋友呀！

前去荒涼——

須我們擔的花兒栽；

勸途沉寂——

須我們擔的琴兒彈！』

　　後面的跟隨着這樣地叫喊。

　　他們去的遠了，

他們底喊聲微了；

我也不知什麼無意地高喊：

『年青的青年朋友呀！

　　努力，切莫把擔兒卸！』

暮　　景

　　柳蔭下柳橋上倚欄獨立，

看碧空中一粒星一鈎新月，

過去的戀歌　　　　　55

祇有的一粒星一鈎新月，

怎不使我舌爛涎垂——
好似在家中小弟弟底小手送進我嘴裏的糖，
天上星底朋友天一色的水底懷中的星。

依依地燉着倒在水中的柔柳；
宛如一個處女立在鏡前照在鏡中，
得意的微動着看見了伊自己的美容；
一隻小鳥在柳頂上週旋，
宛如愛者的手撫摩着在蓬鬆的髮尖；
——一葉飛落水中，
激起神祕的波動，
波動着的情景。

艱難和容易

月光明朗的靜夜，歧途口，

艱難和容易

56

我看見並坐着艱難和容易。

容易後面排列着粗膚俗物；
艱難後面佈滿了刀槍荊棘，
到端底，才是光華美麗。

容易得意的笑着對艱難說：
『人們都望我來，我是勝利。』
艱難點點頭伴笑着囘答：

『你底勝利，庸人不取真諦！
但也許有美慾的英雄探險？』

詩　　意

我好久沒有寫詩了，
並不是不看見詩意；
碧空裏一朵白雲飛過，

過 去 的 戀 歌　　　　57

　　草地上小女郎望着微笑。

　　詩意好比深夜的燐火，

月光下亂草裏的燐火；

你走開去它便跟着你，

你走近去它反躲避了。

　　小女郎單調的美歌，

只容我聽，不容我想；

森林裏隱約的小鳥，

只容我看，不容我寫。

　　我好久沒有寫詩了，

並不是不看見詩意；

碧空裏一朵白雲飛過，

草地上小女郎望着微笑。

新　春

太陽已絲綿般溫和

風兒已綠水般柔軟；

枝頭上美麗的小鳥，

宛囀地告訴我們說：

『陽春已爛熳地來了。』

碧青的麥苗在波動，

瀲灩的綠水在微蕩，

小綿羊在河邊跳躍；

執着柳條的小孩子，

獨坐在草地上謳唱。

『人們都想我是死了，

但是我不過權且伏着，

暫避冷淡無情的隆冬，

過去的戀歌　　　　　59

靜待和暖的陽春吧了。」

　　小草昂着頭微笑地說。

　　什麼都呈着玄妙的快意，

什麼都呈着活潑的生機，

太陽放出和暖的光明，

小鳥野花蒼山和綠水，

一切都漫舞着歡迎新春。

陽春已姍姍地來了

　　一陣陣地和風迎面吹來，

軟軟地撫摩着猶如愛人之手；

夾送着淡淡地素梅芬氣，

和吹着清脆地小鳥歌聲，

釀的我不期然的沉沉酣醉。

　　釀的我不期然的沉沉酣醉，

60 關春已姍姍地來了

一切的煩惱悲痛的都忘掉了，
一切的惹厭的經驗都模糊了，
好像才滿周歲的天眞嬰兒，
不懂甚麼是苦痛只知快樂。

不懂甚麼是苦痛只知快樂，
所聞的聲響都是美妙的音樂，
所見的舉動都是愉快地遊戲，
流水也歡唱着單調的小調，
小草也微笑着搖擺的遊戲。

小草也微笑着搖擺的遊戲，
蒼山點着頭招引他的同伴，
綠樹嬝嬝地表示他的同意，
一雙小鳥從這邊飛到那邊，
把它倆的情意相互傳遞。

過 去 的 戀 歌 　　　　61

把它倆的情意相互傳遞，

並且告訴了牧牛的薑子，

薑子知了吹起竹笛助歡，

笛聲引起了梅姊飛舞的好奇，

於是更添增了一層快意。

於是更添增了一層快意，

好比小孩得到了所要的玩具，

好比情人擁抱了所愛的知己；

宇宙間充滿了愉快地愛美，

爲的是陽春已姍姍地來了。

爲的是陽春已姍姍地來了，

一陣陣地和風迎面吹來，

夾送着淡淡地素梅芬氣，

和吹着清脆地小鳥歌聲，

醉的我不期然地沉沉酣醉●

62　　　　　　　　湖畔怨

湖　畔　怨

晚風裏，癡立湖旁，

看湖畔青青草長，

湖水微微蕩漾；

蓬葦裏，一對水鴨，

它們倆不卽不離，

悠幽嫻地玩耍，

寂無聲響。

寂無聲響，

却觸起觀者思潮，

也跟着湖水蕩漾。

逍遙的水鴨呵！

願你們生生世世，

世世生生，

你鴛我鴦。

過去的戀歌　　　　　68

　　瞧開雲片片怒飛，

聽暮鐘聲聲哀響，

哀響哀響，

惹的我神情迷惘，

心緒惆悵；

怎忍那夕陽微笑，

寂寞淒涼。

　　關不住的熱情，

流不完的悲淚，

引的我心潮澎漲；

只要是並蒂紅蓮，

戲水鴛鴦，

管底是──

地久天長·

霧　　晨

　　新娘似的鄉間的早晨，

64　　　　　　　　霜　　晨

　　輕輕地蒙了一層白紗；

　　藍的天青的地底中間，

　　好似站滿了許多少女。

　　蟲兒們輕爵着歡迎，

　　雄雞們高唱着讚美；

　　讚美着，歡迎着——

　　這美麗的鄉間的早晨。

　　新娘的白紗徐徐去了，

　　面兒紅潤的新郎已來；

　　萬物奏起自然的音樂，

　　讚美，讚美着——

　　這美麗的鄉間的早晨。

雜　感

　　『費了三年半工夫，

過 去 的 戀 歌　　　　65

灑了千萬點血汗，

造成了這座花園，

但我們不容進去。」

　　二個雄壯的工人，

在園門外這樣說。

「蝶兒可以來伴我，

鳥兒可以來歌舞，

小狗可以來玩耍，

祇不容你們進來。」

　一棵嶽牆的小樹，

嗤笑着向佢們說。

　　莫斯科的列甯，

在高加索號喊；

勞工神聖的美名，

造成了更多罪惡；

66　　　　　　　雜　　感

勞働家當從上當，
資本家正好享用。

可敬的勞働家呵！
根本法還是破壞，——革命——
犧牲是破壞的工具，
成功是破壞的兒子！
洒我們熱血千萬斗！
染紅那世界自由花！

燕歸人未歸

野花已燦爛地開遍田野，
樹兒已欣喜地披上綠衫；
去了的燕兒已雙雙南囘，
心愛的人兒呀怎不來歸？

自從去年與郎分別兩地，

過去的戀歌   67

鴻來雁去帶不完相思淚；
月夜常做不成雙雙好夢，
日光裏寫不盡相思語句！

　娜娜地楊柳迎風姨飛舞，
伶俐地小鳥向自然歡歌；
記得去年春光明媚之時，
郎與儂正握手覓芳郊野。

　如今呢你東我西地角天涯，
憶舊情止不住淚流滿襟，
月下並肩，燈前對語，……
舊時的情境呀不堪回憶！

　春光一到我的心便碎了，
那堪看雙雙飛舞的歸燕；
去了的燕兒已雙雙南囘，

68 燕歸人未歸

心愛的人兒呀怎不來歸？

從今逝了

月色朦朧的深夜，
呼呼地朔風狂嘯；
顫動地老樹聲聲喊著：
『民國十四年從今逝了。』

我打開記憶之牢門，
柔弱的心兒禁不住狂跳；
些些愉快已模糊無痕，
重重悲哀卻燦爛暉耀。

我打開經驗之記綠，
嬌小的魂靈禁不住飄蕩；
縷縷璟璟的密密黑痕，
盡是人類罪惡之軼史。

過去的戀歌　　　　　　69

你漂泊的精靈呀！

莫再唱煩惱的曲調；

枯葉堆堆的深谷，

是你煩惱的葬所。

牠可披起輕紗似的月光，

牠可穿上重裝似的朔風；

那里也不至寂寞，

流水不息地爲牠唱着詩頌。

你漂泊的精靈呵！

莫再留戀你的煩惱；

枯葉堆堆的深谷，

放心地快快把牠安葬。

我可永閉記憶之牢門，

我將毀滅經驗之記錄；

70　　　　　　　從　今　逝　了

虔誠地跪向幸福之神，

請求那美麗的新生命。

民國十四年從今逝了，

過去的一切從今逝了。

　　　　　　　　一四年末日

（薔薇叢書之一 心聲文）

■歌 戀 的 去 過■

禁止選輯翻印

中華民國十五年八月初版

全書——一册
定價——三角

著作者　丁　　丁

發行者　無錫方東亮

印刷者　羣衆圖書公司

出版者　羣衆圖書公司

總發行所上海羣衆圖書公司

我倆的心

丁丁、雅風 著

海音書局（北京）一九二七年四月初版。原書六十四開。

我倆的心

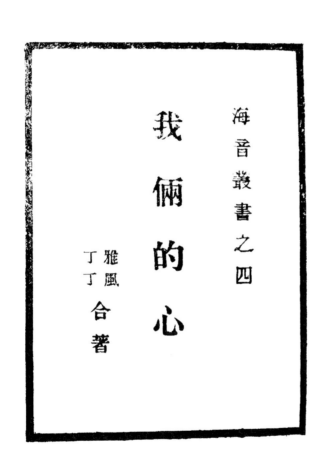

海音叢書之四

我倆的心

雅風　丁丁　合著

目　　錄

我倆的心   1

The Sea Hath Its Pearls.

The sea hath its pearls,

   The heave hath its stars;

Yet my heart, my heart,

   My heart hath its love.

Great are the sea and the heaven;

   Yet Greater is my heart,

And fairer than pearls and stars

   Flashes and beams my love.

2　　　　　　　　　　　　　我倆的心

Thou little, youthful maiden,

Come unts my great heart;

My heart, and the sea, and the heaven,

Are melting away with love!

德國 Heinrich Heine 原著

美國 H.W.Longfellow 英譯

我 倆 的 心   3

—— 譯 ——

碧海有牠底珍珠，

蒼天有牠底明星；

不過我底芳心——

我底芳心呀有我的愛情。

偉大的是碧海蒼天，

但更大的是我底芳心，

并比珍珠的燦爛，明星

的清輝更美麗，我的愛情。

4 我倆的心

伊，年輕秀雅的處女，

走進了我偉大的芳心；

我底芳心，碧海蒼天，

統統落化了和那愛情。

我 倆 的 心   5

空虛的心瓶

我捧着我空虛的心瓶，

走進了那深山的森林；

小鳥在枝頭吱吱歡唱，

但清脆的歌聲裝不進

    裝不進我空虛的心瓶。

我捧着我空虛的心瓶，

走到了那渺茫的海濱；

浪花在海面翩翩飛跑，

6 　　　　　　　　　　　　　　　我倆的心

但美麗的浪花裝不進

　　裝不進我空虛的心瓶。

我捧着我空虛的心瓶，

　　走進了那擁擠的人群；

來來往往着許多青年，

　　但勿論是誰都裝不進

　　裝不進我空虛的心瓶。

我捧着我空虛的心瓶，

　　走到了一座花園的後門；

一縷如泣如訴的琴音，

我倆的心   7

從那綉閣裡低低傳來，

　　終於裝滿了我空虛的心瓶。

自從那如泣如訴的琴音，

裝進了我空虛的心瓶；

不久開出一朵美麗的鮮花，

我便把我的血淚灌漑殷勤，

　　從此再不空虛我的心瓶。

8 　　　　　　　　　　　　　　　　我倆的心

我倆的心　　　　　　　9

舊手帕

也曾懷慰我滴滴相思淚珠，

也曾接受我朵朵醉後吻花；

如今贈你，我至愛的女郎喲！

這是一方我已經用舊了的手帕。

舊禮教重重圍繞在你的周遭，

只容明月窺探的深閨直比幽牢；

我愛！如果你念我而洒淚的時辰，

你可當它是一個無限大的彩瓶，

10　　　　　　　　　　我倆的心

把你的淚花一朵一朵地輕輕栽進。

請你把它分析綴成一縷長絲，

一端緊緊地繫着在你的心頭；

我愛！也許你想我而神飛的時候，

一端輕輕地縛住了你的神靈飛放，

我當虔誠地跪着，遙遙收受。

也曾懷慰我滴滴的相思淚珠，

也曾接受我朵朵的醉後吻花；

如今贈你，我至愛的女郎喲！

這是一方我已經用舊了的手帕。

我 倆 的 心　　　　　　　　**11**

憶　起

颯颯蕭蕭淒涼的微音，

西風輕輕從白楊傳來；

一片萎黃的草地上，

孤悶的我緩步徘徊。

哦！我這柔弱的心靈，

怎禁對那慘淡的月輝？

流水低低地恨吟怨訴，

激動我心底無限悲哀！

12　　　　　　　　　　　我倆的心

憶起在紫籐棚下，

手握著手兒相舞；

如今匆匆地別已半載，

迢迢地路隔八百又多。

昨宵在夢裡夢見，

一般的消瘦如我；

哦！恨不能生出翅膀，

飛回去把心事傾訴！

落葉裡檢起秋蟲，

索性把來敲我心琴；

我倆的心　　　　　13

　　願西風快快東送，

　　這斷斷續續的哀音。

　　經起我縷縷的情絲，

　　緯進我片片的魂靈；

　　願在夢裡把它寄去，

　　去填滿他淒涼的空心！

　　西風輕輕從白楊傳來，

　　颯颯蕭蕭淒涼的微音；

　　怎禁對那慘淡的月明，

　　哦！我這柔弱的心靈！

14   我倆的心

心波　　（一）

我曾把我的心一片一片的切開，

也曾一片一片的重復堆砌；

就在這一片一片堆砌的隙裏，

已經密密地砌進了你的倩影。

我曾對了我的心靈痴笑，

我曾捧著我的心靈狂吻；

心愛的人兒呀，告訴你，

我以此屏除了人間一切的惱悶。

16　　　　　　　　　　　　　　　我倆的心

泛起你澄清妙美的秋波，

歡欣悅愉的迎映我底痴笑；

張開你柔軟馨香的玉腕，

快慰樂意的接受我的狂吻。

————————————這樣，

我彷彿看見你在我心裏的倩影；

心愛的人兒呀，告訴你，

我以因屏除了人間一切的惱悶。

我 倆 的 心　　　　　　　　　　　17

頻 海 吟

那不是經過石頭城滾滾流來的白浪，

在朵朵瑩明的浪花裏映著彼美詩魂；

我願迸裂我眞靈爲葉葉翩躚的素蝶，

去和她隱忱的娉婷倩影纒綿地輕吻。

也曾托出我一點愛心在夢裏寄伊，

願比款款對飛的白鷗在蒼茫海天；

較錦織還韵雅綢裂還清脆的潮聲，

永恆地頌歌美讚我們情繫的儔侶。

18　　　　　　　　　　　　　　我倆的心

伸出我雙手捧起冷冰冰的海水狂飲，

想把我烈烈熱熱久燃著的心炬澆熄；

細嘗得盡是消魂泣別酸辛的淚羣，

更陣陣激震我躍躍將碎的相思心靈。

驪歌聲歇的陽關道上伴影躑躅徘徊，

猶憶紅桃陰下笑倩話輕的幸福新春；

瓣瓣片片恩愛的舊情在記憶之美城，

願綴精地築起我倆綿遠的美妙都城。

我 倆 的 心   19

寂寞

寂寞攻進心門，

煩惱佔了腦海，

當夕陽返照，

我踏着殘葉徘徊。

舉手張開衣袖，

迎那陣陣風寒；

手雖冰冰如死，

心却烈烈似燃！

20　　　　　　　　　　我倆的心

檢起紅葉一枚，

象徵我那愛者；

咧唇密密親吻，

輕輕藏進胸懷。

也曾綠綠鮮美，

如今枯落堆堆；

除却夕陽輕撫，

還有誰人憐愛？

時間好比毒蛇，

環境猶如苦海；

我 倆 的 心　　　　　　　　　21

　　傾進洞庭綠波，

　　怎滌得心底悲哀！

　　當夕陽返照，

　　我踏着殘葉徘徊；

　　寂寞攻進心門，

　　煩惱佔了腦海。

22　　　　　　　　　　　　　　　　　　　我倆的心

我倆的心   23

送別

眼波裏流給你的柔情，

接吻裏呈獻你的忠心；

我愛！如今是和你別了，

願你細細向你心裏藏進。

有了別離的苦痛，

纔知道相聚的甜密；

我愛！如今是和你別了，

願你切莫爲別我而嘆息。

24　　　　　　　　　　　　我 倆 的 心

裝上兩个輕快的翅膀，

在你苦思綿縵的心上；

我愛！如今是和你別了，

你若願意可飛繞我的身旁。

愛切的眼怎流得淚珠，

悲哀的弦怎彈出音調；

願你領略我幽默的神傷，

我愛！如今是和你別了！

我 倆 的 心   25

別

負傷的太陽急切的奔逃，

雞鳴寺的古鐘頻頻輕敲；

她慄動地低低一聲再會；

呀，從此沒有了我的春光。

伊愛絲織成的情網密密，

把我的全體幽錮牢牢；

是伊話別而去後的我呀，

魂靈兒早已飛去遙遙。

26　　　　　　　　　　　　　　我倆的心

玄武湖中的湖水色碧，

中州的側邊橫躺着木橋；

楊柳嬝嬝不息地示意，

但我不願呀把魂兒相招。

暮色儌譲地現出微笑，

夜神的歡聲在四周飛飄；

伊憻動地低低一聲再會，

呀，從此沒有了我的春光。

心波(二)

那不是絲絲的縷縷的情絲，

密密地精緻地繞在伊的頭上；

她願意，如果她是願意呀，

我願眞誠地跪着向伊索取。

她願意，如果她是願意呀，

我願眞誠的跪着向伊索取；

把這絲絲的縷縷的情絲，

絲絲的縷縷的縛滿了我的全體。

28　　　　　　　　　　　　我倆的心

把這絲絲的縷縷的情絲，

絲絲的縷縷的縛滿了我的全體；

我願我的全體將永永毀滅了，

單是剩下一顆鮮紅純潔的柔心。

我願我的全體將永永毀滅了，

單是剩下一顆鮮紅純潔的柔心；

再恭恭敬敬的跪着奉獻給她，

作為我輕薄的謝禮，永遠的贈品。

伊底心房

天平山威嚴披蒙的翠色，

比不上她素明的談粧；

要是尋找明媚的春光呀，

我知道還得向她偉美的心房。

雖是湖水瀲灩的輕笑，

田野裡充滿了波動的麥浪；

要是尋找明媚的春光呀，

我知道還得向她偉美的心房。

30　　　　　　　　　　　　　　　　我倆的心

雖是蛺蝶翩躚的歡舞，

金色的菜花值得留戀欣賞；

要是尋找媚的春光呀，

我知道還得向她偉美的心房。

枝頭的好鳥殷殷獻技，

怎比得她清香嬌滴的低唱；

要是尋找明媚的春光呀，

我知道還得向她偉美的心房。

我倆的心　　　　　　　　31

無題

竹陰深深的溪頭，

月光疏疏的洒上；

那悽然幽懷的少女，

對著琮琮流水沉默。

她雙手頻弄着絲髮，

想把牠根根綴起；

等她情人歸來的時候，

可把他緊緊的縛住。

我倆的心

32

她採她了一束小花，

包在淚痕斑斕的手帕；

用淚寫上了他的地址，

虔誠地托這流水遞送。

她檢起了一顆石子，

向着流水中投去；

在漪漣的波痕裡，

織進了她已碎的芳心。

她私自知道這流水，

是通到他漂泊的寓所；

我 倆 的 心   **33**

　　她知道這已碎的芳心，

　　她的情人會片片撿起。

　　等到月光消沉的時候，

　　　糢糊了少女的悽然；

　　在消沉糢糊的黑影裡，

　　不見了那少女的芳蹤。

34 我倆的心

我 倆 的 心　　　　　　　35

淚書

她用枯瘦的雙手，

把花箋鄭重擎起；

她那乾萎的雙眼，

不禁又淚如泉湧。

是字跡的模糊，

是淚痕的斑爛；

原在字跡的模糊裏，

填滿了淚痕的斑爛。

我倆的心

36

舊淚是如此斑斕，

新淚更這般斑斕；

就在淚痕的斑斕裏，

辨明了字跡的糢糊。

她那乾萎的雙眼，

不禁又淚如泉湧；

她用枯瘦的雙手，

花把箋鄭重擎著。

我倆的心　　　　　　　　37

深夜

深夜倚歇的林邊溪頭，

月光皎皎映澈了黑暗；

秀髮披薇的孤另少女，

手捧着頭坐着默默。

她囘憶去年今日，

在這野花爭妍的溪頭；

也是這樣幽靜的夜裏，

流水頌歌他倆的擁抱。

38   我倆的心

一度的寒暑更迭，

殼滅了她過去的快意；

流水仍是不息低吟，

可是郎君已迢隔千里。

她願化爲一縷遊絲，

隨着微風各處飄飛；

等到遇見郎君的時候，

就在他心上輕輕黏住。

她設想她的郎君，

我倆的心　　　　　　　　　　　　39

　　也是這般的遠懷；

　　頻頻揮淚吁氣，

　　對着這諸明的月輝。

　　當她黏上他的心時，

　　她可聚集已碎的心片；

　　她可細細地重復砌成，

　　她可磨滅已成的傷痕。

　　或是化爲一片殘葉，

　　隨着流水到處漂浮；

　　她可跳進她的桶裡，

40　　　　　　　　　　　我倆的心

遇見郎君汲水的時候。

她設想她的郎君，

或者是更鴌傷神；

舉目無親的異鄉，

只能向着筆尖訴伸。

當她跳進桶裡的時候，

她知道郎君會得認識；

會得掇起含在嘴裡接吻，

會得輕輕藏進胸懷擁抱。

我倆的心　　　　　　　　41

　　她的思潮蒙蔽了她的知覺，

　　使她毀滅了目前的世界；

　　當她輕歌漫舞的時候，

　　她已踏進了甜蜜的夢鄉。

42　　　　　　　　　　　　　　　我倆的心

我 倆 的 心　　　　　　　　　　43

X

呼呼呼狂吼的風姨撼震着門樞，

浙浙浙急切的雨神把窗兒密打；

就在這窗上，我細細的端詳，

玻璃上反映出了我瘦削的形像。

黑暗漸漸地在雨神脇下伸出頭來，

夜合花嬌羞地飛散他的芬香；

宛如戰場上歸來的重傷的武士，

我的心不息地呻吟，聲聲地噁講：

44　　　　　　　　　　　　　　　我倆的心

她那娜曼的姿態，幽妙的微笑，

曾經我痴心地傾慕，詩歌的頌揚；

但美的生命也像美的月亮一般西沉，

就被奔馳的光陰掠奪了我的痴想。

如今我心靈逐漸枯萎頹唐，

因為人們看待我的心如冰般寒冷；

蒼山般深重的恩情也將破碎，

我願從今安寧我自己，化成石像。

時間悄悄地把我的身體削減，

我 倆 的 心   45

但終久沒有減削我內心鬱結的重量，

因此我的心狂風般鼓動我的餘生，

在無窮的迷亂的沉吟裡重砌了痴想。

如果可像今夜的風雨會得消歇，

這人們的看待我的心如冰般寒冷；

那末我得重復掘起我已葬的希望，

歡欣的走向人間，如雨後的驕陽。

46　　　　　　　　　　　　　　　　我 倆 的 心

我倆的心　　　　　　　　　　　47

美麗的天使

　　蟲聲唧唧的襯托着秋夜的沉寂，散披了蓬鬆的烏雲似的頭髮，赤裸裸地一絲不掛地美麗的天使，挾了弓箭展開她底翅膀飛着降臨人間了。

　　『可不是又逢秋矣！』

　　美麗的天使飛向倚窗望月呻吟的少女跟前，她說：『青春的姑娘啊！你安好？』少女淌着淚珠說：『可不是又逢秋矣！』於是美麗的天使對那少女心上穿了一箭飛去了。

『可不是又逢秋矣！』

美麗的天使飛到荒野躑躅呻吟的青年跟前，她說：『年青的青年啊！你安好？』青年淌着淚珠說：『可不是又逢秋矣』於是美麗的天使對那青年心上也穿了一箭飛去了。

美麗的天使，飛向對燈啜泣的處女跟前，飛到伏案嘆息的青年跟前，她看遍了年青的男女們，有的爲着愛人生別而相思流淚，有的爲着找不到愛人而感着單調寂寞而煩悶哀吟，於是她在每人心上各各穿了一箭，唱着凱旋的謳兒，展着翅膀又飛向天去了。

碎錦

——日記的斷片——

這誠然是一件很奇怪而有趣的事，當我沒有見她之前，我想會到了她，一定要盡吐衷曲，但當我會見了她，只能默默坐着，一切的話都不敢說了，一切的話都忘掉了；我見了她春水似的雙眸，情絲似的秀髮，茉莉似的臉色，玫瑰似的雙頰，美妙的手兒，媳娜的姿態，滿藏着愛之甘露似的紅唇，我的靈魂已經深深地沉醉了，我的眼睛只能不息

50　　　　　　　　　　　　　我倆的心

地蜜呆，我還有什麼話可能想到可能說出呢！但是無情的時間頻頻催促，一囘兒使我倆又要分離，呀！那時，那時我想把天下的時計完全弄停了，把太陽用長繩繫住了，可是僅竟只願望吧了。

在看見點頭之時，我的心上下的跳動非常忙碌，等到要分離的時候，我的心又上下的跳動非常忙碌了，但是我自已終久沒有明白爲的是什麼緣故。

我覺得她眞美極了，世界上甚麼東西都是醜的，除非是她才配得上說美；我是從沒見過一個女郎有她那樣的美的，呀！美麗的

我 倆 的 心　　　　　　　51

我心愛的姑娘呀，我心醉了。

寒鴉聲聲地叫着是聽不到的，朔風陣陣地吹着是覺不到的，說甚麼冷風如刺，說甚麼寒日訕笑，我的心是早已飛在伊的懷裡了，我的神經是早已麻木了，只有伊美妙的話聲，在我的耳邊續奏，只有伊韻緻的姿態，在我眼前隱約。

在我空虛的純潔的心瓶裏，如今插下了伊鮮麗嬌嫩的愛情之花，我今後當盡我的能力灌漑，使伊底鮮麗嬌嫩的愛情之花永久鮮麗嬌嫩，我便可終朝終夕的領略欣賞，我底生命便將永遠永遠的歡欣了。

52　　　　　　　　　　　　　　我倆的心

　　我低低地喚伊伊不應，我輕輕地撫伊伊不動，我親親地吻伊伊不睬，伊只是默默地對我望着，窈窕的豐姿娉婷地好似將羽化而登仙，我想倒入伊底溫柔軟和的懷裏，呀！原來是伊的倩影呀！

　　『我瞭解你的心，比瞭解我自己底心還明確，你是我自己全部之最近者，要是你不在這里呀，我就覺得沒有我了。』從戀人底明瑩的心鏡裏照出我自己，再從自己底明瑩的心鏡裏照見戀人，這才是真正的戀愛，同心一體的人格的結合的真寔的至高的至上的神聖的戀愛，是确切把自我擴大，完全把自

我倆的心   53

我解放，真正澈底的恍悟，達到超脫，才能得到真善的自由，才能達到戀愛的三昧境；所以「沒有我只有她」，或是「沒有我只有他」，能自己放棄自己才是真寔的戀愛。甚麼時候我能忘了伊，我心愛的Lena呀！我的心刻刻徘徊縈繞在你的周遭，你可曾一見？

伊的心好比一所精緻的花園，也有歌唱的伶俐的美鳥，也有香艷的悅目的鮮花，也有青葱的濃綠的叢樹，也有低吟的活潑的流水，也有奇峭的光怪的岩石，也有威嚴的陸離的假山，我可以住在伊的心園裏，我可以永久永久地住在伊的心園裏，躺在清靜的叢

54　　　　　　　　　　　　　　我倆的心

陰下，嬌美的鮮花邊，聽流水緩緩地低吟，

聽美鳥聲聲地歌唱，看岩石的光怪陸離，看

假山的奇峭威嚴，並且還有甜蜜的熱烈的酒

漿，我可以細細地喝嚐，細細地喝嚐，慰安

我苦痛的神經，陶醉悲哀的意志，再引出我

快愉的矯娜的女神，浪漫地輕舞，更引出我

細弱的清脆的歌喉，自由地緩唱；啊啊！伊

底美妙的心園呀！伊底神麗的心園呀！伊的

心園是我的故鄉；我的可愛的真美的故鄉呀

，我願永永隱居在我的故鄉，我願永永陶醉

在我真美的可愛的唯一的故鄉。

　　在人聲擾雜的談話中，或許有一剎那會

我 倆 的 心　　　　　　　　　　55

想不到伊，但是一個人呆坐着，又沒有消遣的可能，只呆呆地對着伊的倩影的時候，相思的纏繞是多麼討厭呀！幸得伊婉轉綿連的信，又來破了我一時的沉寂，又來慰了我剎那的苦悶。

頭痛劇烈周身難堪的時候，呼喚伊的芳名是自慰自醫最要的方法，可是伊不能應聲而來，如果伊能應聲而來，我知道我的病可以立卽退却；但伊雖不能應聲而來，伊芳名的可口可心，也已減却了我不少的苦痛了。咳！如果有萬能的神，我定要懇求它帶我到伊的懷　，　因爲伊的玉懷是我唯一的安樂窩

56　　　　　　　　　　　　　　我 倆 的 心

呀！

　　伊的情影是一個美麗的自動書簽，它在我記憶之簿裡，一天一天一頁一頁地翻替；如果一旦沒有了伊的情影，我的神經便要麻木了，我的生命便會毀滅了。

　　那不是水流滴滴的小溪，那不伊叢竹深深的陰林，地上補滿了細沙，在顆顆粒粒的細沙上，曾印下無數青年男女的芳踪，深隱的林陰裡，還恍惚飄蕩着少女的裙裾，凄清的池水邊，還隱約顫動着青年的歌聲；可是冬之神凶忍的佔領之世界，扇起如刺的朔風，摧殘了草木的綠意，害得美麗的公園，頓

我 倆 的 心　　　　　　57

時滿目凄凉，那對對的戀人，也已迴避。我
徊徘在林際池邊，彷彿愛人在我周遭隱現，
可是西顧茫然，東盼也不見，還是那失群的
孤雁，在空中聲聲哀鳴激動了我的心弦；愛
人呀！如果花紅柳綠鳥歌氣清的陽春，我倆
手攜着手兒身倚着身兒在這里閒步，這是多
麼風韻快慰的事呀！

　　伊的嘴唇芬芳，伊的舌尖甜蜜，啊，剎
那的相感，直把我的靈魂震蕩了，唉，我在
這剎那的期間，感到了我生命之意義，我在
這剎那的期間，感到了我生命之價值了。

　　伊今天是要行了，昨晚我想今天相見時

58　　　　　　　　　　我 倆 的 心

再訴心曲，但是相見了却一句要緊的話也說不出，送到船上，對立著也沒有話可說，實在並不是沒有話可說，一者因爲肩着舊禮敎舊道德的多烘先生們虎視耽耽，一者因爲要說的太緊頭了無從說起，因此只得沒話可說；但是在不言的注視裏，頻着我倆的視線也已構和了我倆的心靈。

身體雖是忽東忽西，已經從畢鄉回到了故鄉，可是柔小的心靈，終久還在伊的周遭徘徊，永永不能回來，也永永不願回來。昨宵是燈明，今宵也是如此燈明，可是我無定無依的身兒，又漂泊到了故鄉的海濱；回想

我倆的心　　　　　59

前宵，玉腕兒握在手裏，情絲兒飄在眼際，愛人兒倒在懷裏，是多麼甜蜜的韻事，不過，如今呀！爲時無多，南轅北轍，勞燕分飛，她已南歸，我也東還，雖是我倆心兒終久相依，但也只好徒事相思：苦悶煩惱原自惹，夢魂顛倒究爲誰？

說什麼地久，說什麼天長，說什麼白雲時聚時消，說什麼濃霧瞬息卽滅，我只願剎剎陶醉在愛人的懷裏，我只要永永陶醉在愛人的懷裏，輕歌漫唱，緩舞柔蹈，謝絕一切人世間的煩惱，謝絕一切名利場的臭氣。

60　　　　　　　　　　　　　　　　我倆的心

一九二七年四月初版

我倆的心（全一冊）

實價二角半

北京沙灘三十二號

海音書局發行

版權所有不准翻印

刊　誤

頁	4	17	29	32	36	39	44	56	56
行	4	2	2	1	8	3	4	6	7
字	8	12	8	3	$\frac{1}{2}$	4	8	14	8
誤	落	被	談	她	花把	諸相	伊		補
正	溶	彼	淡	擷	把花	清想心	是		舖

花木蘭文化事業有限公司聲明啓事

此次《民國文學珍稀文獻集成》出版，有賴各位作者家屬大力支持，慨然允贈版權，遂使這巨大的文化工程得以開展。本公司全體同仁在此向各位致以誠摯的謝意！

由於民國作者人數眾多，年代久遠且戰火頻繁，本公司傾全力尋找，遍訪各地，能夠找到的後人，得其親筆授權者，爲數甚寡。更多的情況是，因作者本人下落不明，連版權情況都無從知曉。

因此，本公司鄭重聲明：

此叢書所錄專著，凡有在版權期內而未授權者，作者家屬可與本公司聯繫，本公司願奉送相關贈書 50 冊爲報酬，補簽授權協議。

望家屬看到此通知後與本公司聯繫。聯繫信箱：hml@vip.163.com

花木蘭文化出版社
2021 年秋